C'EST MOI
LE PLUS FORT

ISBN 978-2-211-06905-2
Première édition dans la collection *lutin poche* : octobre 2002
© 2001, l'école des loisirs, Paris
Loi numéro 49 956 du 16 juillet 1949 sur les publications
destinées à la jeunesse : janvier 2002
Dépôt légal : novembre 2015
Imprimé en France par GCI à Chambray-lès-Tours

Mario Ramos

C'EST MOI LE PLUS FORT

Pastel
lutin poche de l'école des loisirs
11, rue de Sèvres, Paris 6ᵉ

Un jour, un loup, qui avait très bien mangé
et n'avait plus faim du tout, décide de faire
une petite promenade dans les bois.
«C'est l'idéal pour bien digérer!» se dit-il.
«Et en même temps, j'en profiterai pour
vérifier ce qu'on pense de moi.»

Il rencontre un joli petit lapin de garenne.
«Bonjour, Belles Oreilles! Dis-moi:
qui est le plus fort?» demande le loup.
«Le plus fort, c'est vous, Maître Loup.
Incontestablement et sans aucun doute,
c'est absolument certain», répond le lapin.

Le loup, très fier, continue sa promenade dans les bois. «Hum ! Comme je me sens bien dans ma peau !» dit-il en respirant le parfum des chênes et des champignons.

Il rencontre alors le petit chaperon rouge.
«Sais-tu que cette couleur te va à ravir?
Tu es mignonne à croquer... Dis-moi, mouchette,
qui est le plus fort?» demande le loup.
«C'est vous, c'est vous, c'est vous! Ça, c'est sûr,
Grand Loup! On ne peut pas se tromper:
c'est vous le plus fort!» répond la petite fille.

«Ah ! C'est bien ce que je pensais: c'est moi
le plus fort ! J'aime qu'on me le dise et
qu'on me le répète ! J'adore les compliments,
je ne m'en lasse pas», jubile le loup.

Il rencontre ensuite les trois petits cochons.
«Que vois-je? Trois petits cochons loin
de leurs maisons! Comme c'est imprudent!
Dites-moi, les petits dodus, qui est le plus fort?»
demande le loup.
«Le plus fort, le plus costaud, le plus beau,
c'est assurément vous, Grand Méchant Loup!»
répondent ensemble les trois petits.

«C'est évident !
Je suis le plus féroce, le plus cruel !
C'est moi le Grand Méchant Loup.
Ils sont tous morts de peur devant moi.
Je suis le roi !» claironne le loup.

Un peu plus loin, il rencontre les sept nains.
«Hého! Les zinzins du boulot, savez-vous
qui est le plus fort?» demande le loup.
«Le plus fort, c'est vous, Monsieur Le Loup!»
répondent d'une seule voix les petits hommes.

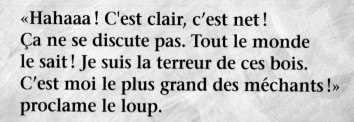

«Hahaaa ! C'est clair, c'est net !
Ça ne se discute pas. Tout le monde
le sait ! Je suis la terreur de ces bois.
C'est moi le plus grand des méchants !»
proclame le loup.

C'est alors qu'il rencontre
une espèce de petit crapaud.
«Salut, horrible chose. Je suppose
que tu sais qui est le plus fort?»
dit le loup.
«Oui, bien sûr. C'est ma maman!»
répond l'espèce de petit crapaud.

«Quoi? Pauvre gargouille!
Misérable artichaut! Tête de lard!
Tu cherches la bagarre?
J'ai dû mal entendre.
Qui est le plus fort, s'il te plaît?»

«Mais je te l'ai dit.
C'est ma maman qui est
la plus forte, et c'est aussi
la plus gentille...
sauf avec ceux qui sont
méchants avec moi!»
répond le petit dragon.
«Et toi, qui es-tu?»

«Moi? Moi... moi,
je suis le petit gentil loup»,
répond le loup en reculant
prudemment.

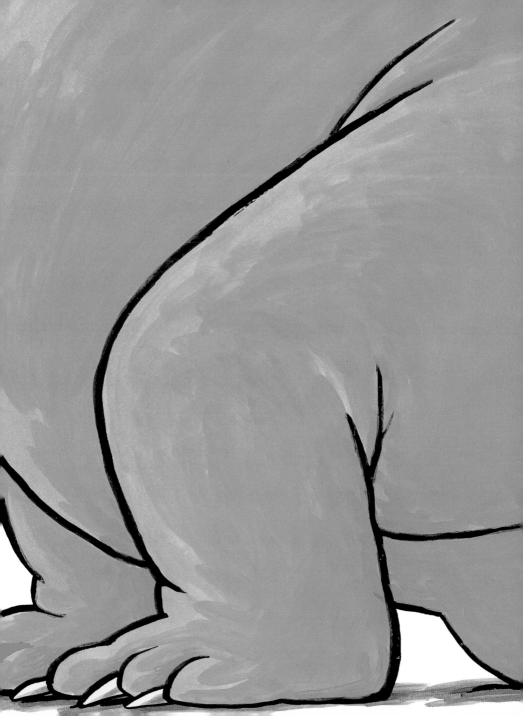